Cyhoeddwyd gan Rily Publications Ltd, Blwch Post 257, Caerffili CF83 9FL

Addasiad Cymraeg gan Non Tudur
Y Dyn Bach Sinsir
ISBN 978-1-84967-033-3
Cyhoeddwyd yn wreiddiol yn Saesneg yn 2018 dan y teitl *The Gingerbread Man*
gan Pat-a-cake, Hodder & Stoughton Limited 2018.
Pat-a-cake, argraffnod o Hachette Children's Group,
rhan o Hodder & Stoughton Limited
Carmelite House, 50 Victoria Embankment, London EC4Y 0DZ
Mae'r cyhoeddwyr yn cydnabod cefnogaeth ariannol Cyngor Llyfrau Cymru.
www.rily.co.uk

Fy Amser Stori Cyntaf

Y Dyn Bach Sinsir

Gan Ronne Randall
Darluniau gan Susan Batori
Addasiad gan Non Tudur

cath

buwch
caseg
llwynog
bara
jam

Un diwrnod penderfynodd Mari a'i mam wneud dyn bach sinsir ar gyfer eu te prynhawn.

Rhoddodd Mari lygaid siriol a gwên ddrygionus gydag eisin gwyn i'r dyn bach sinsir. Cafodd wisg morwr gan Mam.

Am ddyn bach sinsir smart!

"Mi gawn ni fwyta'r dyn bach sinsir i de," meddai Mam.

"O, na, chewch chi ddim!" meddai'r dyn bach sinsir yn bowld. Llamodd ar ei draed a neidio oddi ar y bwrdd.

Brasgamodd ar hyd llawr y gegin … ac yn syth allan drwy'r drws! Roedd Mari a Mam wedi eu rhyfeddu.

Rhedodd Mam a Mari a'r ci a'r gath nerth eu traed ar ôl y dyn bach sinsir.

"Stopia!" gwaeddodd y ddwy.

Ond wnaeth y dyn bach sinsir ddim stopio. Dim ond rhedeg yn gyflymach wnaeth e, dan ganu, “Rhedwch a rhedwch fel y gwynt ar antur, ond wnewch chi byth ddal y dyn bach sinsir!”

Daethant i gae lle'r oedd yna fuwch smotiog yn cnoi cil ar y glaswellt yn llon. "Stopia, stopia!" brefodd y fuwch wrth i'r dyn bach sinsir redeg heibio.

Ond wnaeth y dyn bach sinsir ddim stopio.
Dim ond rhedeg yn gyflymach wnaeth e, dan ganu,
“Rhedwch a rhedwch fel y gwynt ar antur,
ond wnewch chi byth ddal y dyn bach sinsir!”

Rhedodd y fuwch ar ôl y dyn bach sinsir.
A rhedodd Mam a Mari a’r ci a’r gath ar ôl y fuwch.

Ond allai’r un ohonyn nhw ddal y dyn bach sinsir!

Roedd yna hen gaseg lwyd yn pori gerllaw. Pan welodd hi'r dyn bach sinsir, gweryrodd, "Hei! Stopia!"

Ond wnaeth y dyn bach sinsir ddim stopio. Dim ond rhedeg yn gyflymach wnaeth e, dan ganu, “Rhedwch a rhedwch fel y gwynt ar antur, ond wnewch chi byth ddal y dyn bach sinsir!”

Ysgydwodd yr hen gaseg ei chynffon a charlamu ar ôl y dyn bach sinsir. A rhedodd y fuwch, Mam, Mari, y ci a'r gath ar ôl y gaseg.

Ond ni allai yr un ohonyn nhw ddal y dyn bach sinsir!

Dyma'r dyn bach sinsir yn dod at afon fyrlymus.
"O!" llefodd. "Alla i ddim nofio! Sut wna i groesi'r afon?"

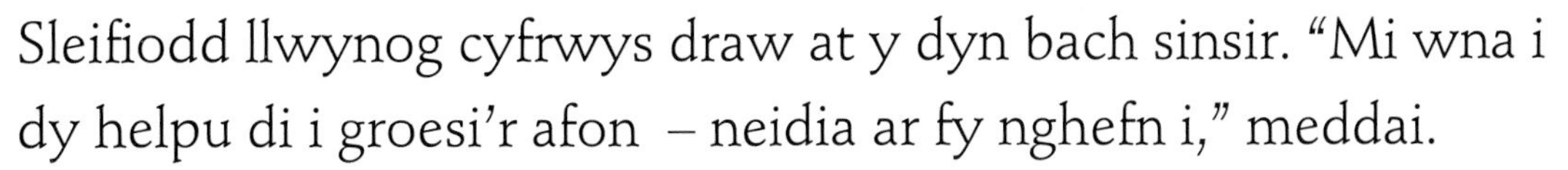

Sleifiodd llwynog cyfrwys draw at y dyn bach sinsir. “Mi wna i dy helpu di i groesi’r afon – neidia ar fy nghefn i,” meddai.

Dyma'r llwynog yn dechrau croesi'r afon, gyda'r dyn bach sinsir yn eistedd ar ei gefn.

"O, diar!" meddai'r llwynog. "Mae'r dŵr yn mynd yn ddyfnach. Byddai'n well i ti ddod i sefyll ar fy mhen."

Felly neidiodd y dyn bach sinsir a symud at ben y llwynog.

Ond yna … dyma geg y llwynog yn mynd snap, snap, snap!
A dyma'i ddannedd miniog yn cnoi a chnoi a chrensian!
A dyna ddiwedd y dyn bach sinsir.

Felly fe gafodd y fuwch, y gaseg, y gath, y ci, Mari a Mam i gyd fara a jam i de y prynhawn hwnnw!

Gwnewch eich dyn bach sinsir eich hun gyda'r rysait yma:

350g blawd plaen, 100g menyn, 2 llwy de o sinsir mân,
1 llwy de o sinamon mân, 1 llwy de o soda pobi,
175g siwgr meddal brown golau, 4 llwy fwrdd
o driog melyn, 1 wy mawr.

1. Cynheswch y ffwrn i 180°C / Nwy 4.
2. Torrwch y menyn yn ddarnau mân a'i roi mewn bowlen gyda'r blawd, y sinsir, y sinamon a'r soda pobi, a'i gymysgu nes bod y cyfan fel briwsion. Ychwanegwch y siwgr, y triog a'r wy, a'i gymysgu nes ei fod yn does solet.
3. Taenwch y bwrdd a'r rholbren gyda blawd. Rholiwch y toes yn ddarn tua 5mm o drwch.
4. Yna, torrwch eich pobol sinsir o'r toes.
5. Rhowch y siapiau ar bapur gwrth-saim ar dun pobi.
6. Pobwch nes eu bod nhw'n lliw euraid – tua 12 munud. Os ydych chi'n defnyddio ffwrn sydd â ffan ynddi – tua 10 munud.

Gofynnwch
i oedolyn i'ch
helpu chi!

Allwch chi ddod o hyd i bum gwahaniaeth rhwng y ddau lun yma?